Pour Tauri Lee.
D.G.

Pour Ondrea and Wes.
A.G.

Traduit par Pascale de Bourgoing

Conception artistique de la couverture par Rita Marshall
Édition originale parue sous le titre
« The king's bird »
aux Éditions Andersen Press Ltd., UK
© 1987 A. H. Benjamin pour le texte
© 1987 Tony Ross pour l'illustration
© 1993 Calligram
Tous droits réservés
Imprimé en CEE
ISBN : 2-88445-051-3

RAYON BLEU

Les Ailes
magiques du roi

de A. H. Benjamin
Illustré par Tony Ross

ⒸALLIGRAM

Il était une fois un roi qui adorait les oiseaux. Il en avait des milliers qui vivaient tous en liberté dans le château. Cela créait beaucoup d'ennuis, mais le roi était ravi. Un jour, la reine en eut assez. Elle annonça au roi que les oiseaux devaient absolument quitter le château.

Le roi cria, horrifié :
– Quoi ? Mes oiseaux ? Quitter le château !
C'est hors de question !
– Nous sommes envahis, protesta la reine,
ils vont me rendre folle. Mon ami,
tâchez de comprendre !
Mais le roi refusa catégoriquement.

Sans un mot, la reine quitta la salle
du trône en claquant la porte.
« Je m'en débarrasserai, décida-t-elle
en chassant rageusement les oiseaux
qui voltigeaient dans le couloir.

Mais j'y pense, le magicien est absent pour
la journée : son cabinet est donc vide ! »
Quelques instants plus tard, la reine
feuilletait attentivement le grand livre
de formules magiques.
– J'ai trouvé, cria-t-elle,
FORMULE POUR FAIRE DISPARAÎTRE
LES OISEAUX !
Un sourire triomphant illumina son visage.

Le lendemain, tous les oiseaux
avaient mystérieusement disparu.
Plus une plume à l'horizon !
Le roi était bouleversé :
– Mes oiseaux ! Partis ! Envolés !
gémissait-il en arpentant la cour,
comment est-ce possible ?

– Mon pauvre ami, répondit la reine
d'une petite voix innocente, je n'en ai
aucune idée !
Le roi s'arrêta brusquement et regarda
sa femme droit dans les yeux.
La reine recula, apeurée :
– Ne me regardez pas comme ça, mon ami,
je n'y suis pour rien !
Tandis que la reine s'éloignait rapidement,
le roi comprit qu'elle était la seule respon-
sable. Il jura alors de prendre sa revanche.

Deux jours plus tard, le roi eut une idée :
il demanda à son magicien de le transfor-
mer en oiseau.
Il riait tout seul en y pensant : la reine
serait enchantée d'avoir un oiseau pour mari !
Le magicien se mit au travail. Comme
il n'était pas des plus habiles, la formule
ne marcha qu'à moitié.
– Mon Dieu ! fit le magicien, effrayé.
Le roi se regarda.
Le bas de son corps était resté le même,
mais le haut était recouvert de plumes.

Il portait une crête dorée et un bec violet.

– C'est encore mieux ainsi, s'écria le roi,
en battant des ailes avec délice.
Je peux marcher comme un homme
et voler comme un oiseau.
Déjà le roi voltigeait autour du château.
« Quelle merveille ! » songeait-il.
Il aperçut alors la reine qui traversait
la cour et il eut envie de lui faire un petit
bonjour. L'oiseau-roi descendit en piqué
et atterrit derrière la reine en douceur.
– Bonjour, dit le roi en battant des ailes.
Surprise, la reine se retourna :
– Au secours ! hurla-t-elle, au secours !

Et, persuadée d'être poursuivie par le diable,
elle partit se réfugier dans sa chambre.
Le roi éclata de rire ; jamais la tête
de sa femme ne l'avait fait rire autant !
Adossée à la porte, la reine haletait :
– Mais qu'était-ce donc ?
Le roi se posa alors sur le rebord de la
fenêtre.
– Ce n'était que moi, ma chère, comment
trouvez-vous votre nouveau mari ?
Affolée, la pauvre reine bafouillait :
– Vous... vous n'êtes pas mon mari !
– Mais si, répondit le roi, mon magicien
a très bien travaillé pour une fois !
– Alors demandez-lui d'annuler sa formule,
je refuse d'avoir un monstre pour époux !
Le roi fit semblant d'être choqué :
– Un monstre... quelle sottise !
N'en parlons plus, c'est l'heure du dîner.

Et, en claquant du bec, il annonça :
– J'ai envie de bons vers de terre gras
et juteux.
– Des vers de terre ! s'écria la reine,
êtes-vous devenu fou ?
– C'est la nourriture préférée des oiseaux,
répondit le roi calmement.
A bientôt !

Il s'envola par la fenêtre, laissant la reine
trépigner de colère.
« Oh ! il ne peut pas me faire cela ! »
Car elle avait compris que le roi prenait
sa revanche.

Le soir, quand elle arriva dans sa chambre,
elle vit le roi installé sur son lit... dans un
énorme nid.
– Quelle idée idiote, dit-elle furieuse,
ôtez-moi cela tout de suite !
Les ailes repliées et les yeux fermés,
le roi faisait semblant de dormir.
– Vous avez entendu ? hurla-t-elle,
ôtez ce nid ridicule !
Le roi se retenait de rire.
Sans un mot, la reine se glissa dans le lit.

La reine fit des cauchemars toute la nuit.
Elle était poursuivie par des millliers
d'oiseaux poussant des cris rauques.
Soudain elle se réveilla toute tremblante :
« Côa, côa, côa ! » entendit-elle.
C'était son mari !
– Allez-vous arrêter ce vacarme ?
hurla-t-elle, il est cinq heures du matin !

– Les oiseaux se réveillent toujours très tôt,
ma chère, dit le roi, et je chante avec eux.
Côa, côa, côa !
Incapable de supporter ce bruit, la reine
quitta la chambre comme une furie.

Pour le déjeuner, le roi voulut des spaghettis.
La reine fut très surprise.
– Mais vous les avez toujours détestés !
– Et bien maintenant je les aime !
répondit le roi.
Il picora goulûment ses spaghettis,
les balançant de droite et de gauche avant
de les avaler. La reine le regardait, horrifiée.
Le roi claquait du bec avec délice.
– C'est une vraie merveille, cela rappelle
tellement les vers de terre !

– Vous êtes ignoble ! s'exclama la reine
en sortant de table.
Et le roi riait sous cape.

Le lendemain, la reine rappela au roi le bal costumé qu'ils donnaient au château le soir même.

– Qu'allons-nous faire, demanda la reine affolée, vous ne pouvez pas rester dans cette tenue, que diraient nos invités ?

– Cela m'est
complètement égal,
dit le roi.
– Très bien ! reprit la reine.
Après tout, c'est un bal
costumé, votre déguisement
est tout trouvé !

Au bal, tous les invités complimentaient
le roi pour son costume. Il avait beau
expliquer que ce n'était pas un déguisement,
personne ne le croyait. Alors il commença
à voltiger de-ci de-là, en poussant des cris
de perroquet. Affolées, les dames se mirent
à crier, les messieurs poussèrent de gros
jurons, et tout le monde quitta le bal.

La pauvre reine s'arrachait les cheveux
de honte et elle sanglotait :
– Vous me rendez la vie impossible,
vous êtes dix fois pire que vos oiseaux.
Ah ! que je regrette de m'être débarrassée
d'eux !
– Enfin, vous avouez ! s'écria le roi,
je l'avais deviné.
Qu'avez-vous fait de ces oiseaux ?
Alors la reine lui expliqua :
– Mais je peux les faire revenir, ajouta-t-elle
en essuyant quelques larmes.
– Vous le pouvez ? s'écria le roi.
– Il suffit de lire les mots magiques à l'envers...
Je vous en prie, ne voudriez-vous pas leur
construire une volière dans les jardins ?
Ils y seraient très heureux !

Le roi accepta aussitôt et déclara :
– Je pense que c'est une bonne idée.
Ravie, la reine se jeta à son cou :
– Merci mon trésor, répondit-elle, merci !
– J'aurais déjà dû penser à cette volière,
reprit le roi.

Au fait ! ajouta-t-il en lui faisant un clin d'œil, je n'ai jamais touché à un ver de terre et je déteste toujours les spaghettis.